P9-EJS-423

GIROL SPANISH BOOKS
120 Somerset St. W.
Ottawa, ON K2P 0H8
Tel/Fax (613) 233-9044

1

El grito

Djit se despierta sobresaltado.
Un búho ulula a lo lejos.
Es lo único que se oye.
La selva está en silencio.
Un silencio extraño.
Djit coge su lanza y se levanta
sin hacer ruido.
Con cuidado, pasa por encima del abuelo.
Fuera, en la puerta de la cabaña
—que está apoyada en troncos

de árbol, a diez metros del suelo—,
mira a su alrededor.
Por encima de la selva hay una neblina azul.
No tardará mucho en salir el sol.
Todo parece normal.
Sin embargo, hay algo raro.
Pero ¿qué es? ¿Habrá serpientes?
¿Se pasean por ahí espíritus malignos?
Djit oye un balido que llega desde el río.
¡¿Un balido?!
¿Cómo es posible?
¿Se habrán escapado las cabras?
Djit agarra su lanza con fuerza.
Se agacha.
Pero no consigue ver nada
por culpa de la neblina.
De repente, oye al búho otra vez.
Djit se encoge.
Siente un escalofrío por su espalda.
Va de puntillas hasta el otro lado
de la cabaña.

El suelo cede bajo sus pies.
La cabaña se levanta sobre los troncos
de unas palmeras.
Por los lados sobresalen
cañas de bambú muy largas.
Djit está acostumbrado
a que cedan un poco.
Pero ahora mira aún con más cuidado
dónde pone los pies.
Toma el último sorbo de agua
del vaso de bambú.

—Ueeeeehhh...

Un grito angustioso llega desde el río.
De repente, se para.
Y vuelve el silencio.
Djit se desliza hasta la estera
donde duerme el abuelo.

—Abuelo, despierta.

El anciano abre un ojo.

—¿Qué pasa? ¿Por qué me llamas?
¡Todavía es de noche!

—He oído un grito —le dice Djit en un susurro—. Me parece que algo les pasa a las cabras.

El abuelo levanta la cabeza
un poquito.

—No oigo nada
—dice, soñoliento—.
Dame agua.

—No queda —susurra Djit.

—Entonces, ¡vete a buscar
agua fresca al río!

—Pero… Es que no se oye nada.

—¡No te asustes!
—gruñe el abuelo—.
Ya no eres un bebé.

—Pero… El sol no ha salido aún
y hay niebla y…

—Ya, ya entiendo. Te da pereza.

Djit está al lado de la escalera de cuerda. Debido a la niebla no ve el suelo.

«¿Qué hago?, ¿voy? —piensa—.
¿O será demasiado peligroso?»

Otra vez entra en la cabaña de puntillas.

—Abuelo.

—Mmmm —gruñe el anciano, adormilado—. Mmmm... agua.

«Está bien —piensa Djit—.
Haré como que no tengo miedo.»

Djit coge el vaso de bambú para el agua.
Cuelga la lanza de su hombro.
Y saca las piernas por el borde
de la cabaña.
No se da cuenta de que el abuelo lo mira
lleno de orgullo.

2

LA HUELLA DE LA PANTERA

Djit baja la escalera de cuerda
con cuidado.
Diez metros colgado en el aire.
Unos hilos de niebla rozan su cara.
El frío le hace temblar.
Cuando llega abajo
se queda quieto un momento.
Las cabras están detrás de una valla
hecha con ramas secas.
Lo miran con grandes ojos.

Djit cuenta los animales:
«... diez, once, doce...».
¡¿Doce?!
Cuenta de nuevo: ¡otra vez doce!
¡Falta una de las cabras!
Djit camina de puntillas siguiendo
la valla.
De repente, descubre una huella.
¡La huella de una pantera!
Las marcas de sus patas son
terriblemente grandes.

«Ha vuelto la pantera —piensa Djit—.
Otra vez ha robado una cabra.
Ha saltado la valla con su presa
en la boca. Igual que la vez anterior.»

Djit sigue el rastro palmo a palmo.
Agarra fuerte su lanza.
Casi ha llegado al río.
«¡Crac!» Una rama muerta.
El ruido corta el silencio como una navaja.
Djit se queda inmóvil.

Le zumban los oídos. Pero no oye
nada más. La selva está en calma.
El silencio da miedo.

«¿Llamo al abuelo? —se pregunta
Djit—. No. Tengo que demostrarle
que no tengo miedo.
Que me atrevo a ir a por agua.
Aunque haya una pantera
merodeando por aquí.»

Se levanta un poco de viento.
Los hilos de niebla se vuelven más finos.
Djit sigue las huellas hasta la orilla del río.
Allí desaparecen en el agua.
Djit ve algo de color marrón
medio escondido detrás de una roca.
Se mete en el agua fría.
Sujeta la lanza,
apuntando con ella hacia delante.
Da un rodeo grande
alrededor de una roca.
Entonces es cuando ve la cabra.

Muerta. ¡Muerta y rematada!
La barriga está abierta.
La cabeza hacia un lado,
con un giro extraño.
Djit desliza sus dedos
por el pelaje mojado.
—¡La pantera le ha roto
todos los huesos!
—dice muy bajito—.
Pero no se ha comido la cabra.
¡Ese asesino mata sólo por placer!

Djit camina por la orilla del río.
Pero no vuelve a encontrar la huella
de la pantera en ninguna parte.
«Es un animal peligroso y listo
—piensa—. Ha seguido caminando
por el río. El agua ha borrado todas
sus huellas. Si alguna vez el río se seca,
la podré seguir.
Pero seguramente eso no pasará nunca...»

Djit vuelve al lado de la cabra.
Agarra las patas traseras
y empieza a tirar.

Pero no consigue mover
al animal muerto.

—Tengo que sacarla del agua
—dice Djit, jadeando—.
¡Tengo que conseguirlo!

Se agacha y tira
con todas sus fuerzas.
De repente, se le escapa
el cuerpo muerto.
Los pies de Djit resbalan.
Y se cae hacia atrás.
Su cabeza golpea una piedra.
Todo se vuelve oscuro.
El mundo desaparece.
El agua. La cabra.
¡Todo!

3

El silencio

Djit se despierta sobresaltado.
Un búho ulula a lo lejos.
Es lo único que se oye.
La selva está en silencio.
Un silencio extraño.
Ya no tardará el sol en salir.
Todo parece normal. Sin embargo,
algo no cuadra. Pero ¿qué?
¿Acaso hay depredadores rondando?
¿O espíritus?

Djit quiere coger la lanza.
Pero no la encuentra enseguida.
Sorprendido, se incorpora.
Mira a su alrededor.
—¿Qué ha pasado?
¿Qué hago aquí?
Djit cierra los ojos.
Y los vuelve a abrir.
Está sentado en medio del río.
¡Pero ha desaparecido el agua!
El río está seco.
Unos peces gordos golpean el barro
con sus colas.
Abren y cierran la boca.
Parece un gesto de sorpresa.
¿O será de dolor?

4

LA HUELLA DE LA CABRA

Djit va caminando por el lecho del río.
Hay peces por todas partes.
Lo miran fijamente con ojos desorbitados.
Abren la boca intentando respirar.

—Os ayudaré —susurra Djit—.
Encontraré el agua...

De repente, se agacha.
Ha visto la huella de una cabra en el barro.

«¿Qué hace esa cabra aquí?
—piensa Djit—. ¿Se escapó?
¿Tenía sed? ¿O es que olió el agua?

La voy a seguir.
A lo mejor encuentro el río.»

Sale el sol. Los pies de Djit se hunden más y más en el barro.
De vez en cuando se queda parado, escuchando. Pero continúa
cuando deja de oír los balidos de cabra.
De repente, se deja caer de rodillas.

Apenas puede creer lo que ve.
Al lado de la huella de la cabra
ve otras huellas: las de la pantera,
que son terriblemente grandes.
Djit mira a su alrededor, con miedo.

«¿Se habrá escondido la pantera?
A ver si ahora salta encima de mí.
¿O estará persiguiendo a la cabra?
¿Se habrá bebido todo el agua?»

Como la rana del cuento
que contó el abuelo:

Un día, una rana llegó hasta un lago.
Saltó al agua.
Y, entonces, se bebió toda el agua.
Hasta que se vio el fondo.
La rana se hinchó tanto
que se convirtió en un monstruo
horrorosamente grande.
La gente estaba a punto de morirse de sed.
—Rana, devuélvenos el agua, por favor
—suplicaban—. Si no morirán
nuestros hijos.
Pero la rana glotona no les dio
nada de beber. ¡Ni una gota!
Entonces, la gente mató a aquella gordinflona,
con sus lanzas afiladísimas.
El agua salió de la rana a borbotones
y volvió a llenar el lago.
Y todos pudieron beber hasta quedar saciados.

Djit desliza su dedo por la punta afilada
de su lanza.
«Si la pantera se ha bebido el agua,
la tendré que matar —piensa—.
Y si ha cogido mi cabra, también.»

Djit se aleja cada vez más
siguiendo el rastro.
Unos arbustos con pinchos
arañan su piel.
De vez en cuando resbala
al pisar las rocas pulidas.
Pero no abandona la partida.
Encuentra un poco de agua en el hoyo
de una piedra. La bebe con cuidado.
«No puedo desperdiciar nada
—piensa—. Aunque, qué raro,
siempre ha habido suficiente agua.
Ahora se secará el maíz en el campo.
Y a lo mejor tendremos que dejar
la cabaña del árbol.

Dice el abuelo que el río desemboca
en el mar. Y que el mar
siempre está lleno de agua...»

Djit se sobresalta por el grito agudo
de un loro. Lame las últimas
gotas de agua de la piedra.
Y vuelve a correr detrás de la huella
de la pantera. Adentrándose
cada vez más en el valle.

5

LA RANA

Hace muchísimo calor.
Djit camina por el barro,
tropezando continuamente.
La pantera y la cabra han seguido el río,
sin desviarse.

«Llegaré hasta la pared rocosa
—piensa Djit—. Esa pared cierra el valle.
Allí el agua se precipita hacia abajo.
Al menos, antes había una cascada...
¿Cómo estará aquello ahora?»

De repente, se queda parado,
como paralizado.
En el valle se oye el eco
de un grito desesperado.
«Mi cabra —piensa Djit—.
La pantera la ha atrapado.
¡Tengo que salvarla!»
Djit echa a correr.
Salta de una piedra a otra.
La cabra chilla.
«Voy a llegar tarde —piensa Djit
en una fracción de segundo—.
¿Cómo podría retener a esa asesina?»
Desesperado, mira a su alrededor.
En la orilla hay un arbusto espinoso.
Djit corre hacia él y arranca
seis largas espinas.
Las sostiene en la mano, que coloca,
justo encima, de las huellas de la pantera.
«El abuelo también siempre
hace esto —piensa Djit—.

Hechiza a su presa antes de salir a cazar.
Hace un conjuro con una canción.»

Djit cierra los ojos y empieza a cantar:

Pantera, ¡horrible animal!
Escucha mi voz.
¡Te voy a hechizar!
Estas espinas hieren tus patas.
Las puntas pinchan tu corazón.
Vete, deja mi cabra en paz.
¡Desaparece!
Tienes que encogerte de dolor.

Djit clava, una a una, las espinas puntiagudas en las huellas.
Las mete lo más profundo que puede.
Se levanta y oye chillar a la cabra otra vez, una sola vez.
Luego, el valle se queda de nuevo en silencio.
Un silencio amenazador.

El sol ya está alto en el cielo.
Por fin, Djit llega al final de la selva.
Se esconde bajo la sombra
de una palmera.
Delante de él hay una franja de tierra
sembrada de enormes piedras.
Detrás se levanta la pared rocosa.
Muy alto, en el cielo azul, tres buitres
vuelan en círculos.

Djit no se siente tranquilo.
Todo es tan extraño.
La última vez, todavía estaba la cascada.
El agua salpicaba y formaba espuma.
Preciosos y pequeños arco iris
temblaban en el aire.
Pero hoy reina un silencio angustioso.

«Si hay buitres es que la muerte
anda rondando cerca —piensa Djit—.
Esos picoteadores de cadáveres saben
exactamente dónde encontrar comida.
Los buitres huelen la muerte.

¿Dónde está mi cabra?
¿Y dónde está la pantera?
Aquí se puede esconder en todas partes.»
Djit busca por los alrededores.
De repente, ve algo que brilla
a los pies de la pared rocosa.
Su lengua se desliza por sus labios.
¡Agua!
¡Agua fresca!
Djit mira a su alrededor otra vez.
Entonces, corre agachado hasta
la primera roca.
Se aprieta contra la piedra áspera,
y espera.
Pero no pasa nada.
No le asalta ninguna pantera rugiendo.
Todo sigue en silencio.
Djit corre hasta la siguiente roca.
Y la siguiente.
Y otra más.
Haciendo zig-zag llega a la pared rocosa.

Se deja caer, de frente, en el charco.
Y bebe. Bebe sin parar.
El agua fría está deliciosa.
Djit sigue bebiendo
sin prestar atención a nada más.
Hasta que, de repente,
oye un leve ruido.
Levanta la cabeza asustado.
Hay una rana sentada en una piedra,
en el borde del charco.
Una ranita verde.
El animalito mira a Djit
con sus ojos saltones y...
¡salta al agua de repente!

—¡Socorro! —grita Djit—.
¡Socorro!

Djit quiere salir corriendo.
Coge su lanza del suelo con rapidez.
Se da la vuelta.
Los círculos en el agua se hacen
cada vez más grandes.

Pero, por lo demás, no ocurre nada.
A Djit le entra una risa nerviosa.
—No hay nada que temer
—dice, muy bajito—.
Sólo era una rana.
Una pequeña ranita de nada.

6

Arañazos

Djit vuelve hacia el cauce del río.
Sigue las huellas hasta el pie
de la pared rocosa.
Allí mira a su alrededor, sorprendido.
¿Cómo es posible?
Las huellas de la cabra y de la pantera
desaparecen abruptamente.
Como si los dos animales se hubieran
volatilizado.
¿Qué ha pasado?

¿Se habrá comido la pantera a la cabra?
No.
Porque habría visto restos
de sangre o huesos.
¿Acaso habrá dado la pantera
un salto gigante?
Djit busca por todos lados.
Pero no vuelve a encontrar el rastro.
Se apoya contra una piedra, agotado.
De vez en cuando una sombra
pasa por encima de él.
Los tres buitres siguen volando,
en círculos.
Djit oye el batir de sus alas.

«Están siguiendo algo —piensa—.
Pero ¿qué o a quién?
¿A la pantera o a la cabra o…?»

Djit sacude la cabeza y se levanta,
de golpe.

—Si me estáis siguiendo a mí,
¡perdéis el tiempo!

—Todavía no voy a morir
—exclama—. ¡No hasta dentro
de mucho tiempo!

Sigue a los buitres con la vista.
Entonces, ve un rastro de arañazos finos
en la pared rocosa.
¿Habrá subido por ahí la pantera
agarrando la cabra con la boca?
Djit pasa los dedos por esos arañazos
recientes.

—Qué uñas tan afiladas
tiene ese animal.

Djit camina bordeando la pared rocosa.
Busca un sitio por donde pueda subir.

«No habré dado todo este paseo
en balde —piensa—. Tal vez encuentre
la pantera arriba, en las rocas.
Estará medio dormida, satisfecha
de todo lo que comió. Entonces,
tendré la oportunidad de matarla…»

De repente, una piedra pasa al lado de su cabeza.
En lo alto de la pared rocosa hay un grupo de monos.
Se persiguen dando chillidos.
Caen ramitas y piedrecitas desde allí. Uno de los monos echa una larga liana por encima del borde de la roca.
Otro mono se desliza por ella hasta abajo.
Luego vuelve a subir con mucha agilidad.

«Eso lo puedo hacer yo también», piensa Djit.

—E-e-e-eeeey...

Su voz resuena entre las rocas.
Los monos huyen a toda prisa.

—E-e-e-e-e-eeeey...

La liana cuelga a unos cuatro metros del suelo.

Djit se cuelga la lanza en el hombro.
Entra en el bosque.
Vuelve con una caña de bambú muy larga.
La apoya contra la pared rocosa.
Luego empieza a subir por ella.
Sus manos se mojan de sudor.
De vez en cuando resbala un poco,
hacia abajo.
Pero lo consigue.
Casi puede tocar la liana.

«Ahora viene lo más difícil.
Tengo que soltar una mano
de la caña de bambú.
Tengo que agarrar la liana.
Si se me escapa...
No, no hay que pensar en eso.
No fallaré. ¡No puedo fallar!»

Djit tiembla por el esfuerzo.
Siente la áspera liana
con la punta de los dedos.
La caña de bambú se escurre.

—¡No! —grita Djit.

Sus pies se apoyan en la roca,
y se impulsan.
Sus manos intentan agarrar algo.
La caña cae sobre las rocas,
con estruendo.
Pero Djit cuelga de la liana,
muy arriba.
Djit apoya los pies en la roca.
Coge la liana más arriba.
Y así sube, poco a poco.

El sol le quema la espalda.
Llega a un pequeño peldaño,
sin aliento.
Descansa un poco.
Djit mira hacia atrás, resoplando.
Cree ver unas figuras en el valle.
Pero son las sombras de los tres buitres.
Djit agarra fuerte la liana
y sigue escalando.
Queda poco ya.

Apoya el brazo en el borde
de la pared rocosa.
Se iza hasta arriba con los codos
y aleja su cuerpo de allí.
¡Lo ha conseguido!
Se queda tumbado, con los ojos cerrados.
Pero, de repente, oye un leve ruido
de algo que husmea a su lado.
Una lengua rasposa lame su piel.
Djit levanta la vista con mucho miedo.
Y echa los brazos al cuello de su cabra.

7

Garras

La cabra yace en la roca, agotada.
Empapada en sudor.
Djit acaricia su cabeza.
—¡Todavía estás viva!
—le susurra con sorpresa—.
¿Cómo es posible?
¿No te ha matado la pantera?
Djit mira hacia el valle.
Su abuelo le está esperando
en algún lugar.

Allí, en la cabaña.
«Él no sabe dónde estoy.
¿O habrá seguido mis huellas?»
Djit se tumba al lado de la cabra
y tira de su ubre.
Un chorrito de leche tibia
va derecho a su boca.
¡Qué rica!
De repente, Djit oye un gruñido
sordo en la montaña.
¡La pantera!
Estando aquí la cabra,
esa asesina no puede andar lejos.
Djit sujeta la lanza,
apuntando con ella hacia delante.
Preparado para el ataque.
La cabra se levanta balando.
Djit la sigue al lugar donde antes
estaba la cascada.
Y atraviesan rocas desgastadas
hasta llegar a una cueva.

Se acuerda, de repente,
de otra historia del abuelo.

—Nuestro río nace muy alto,
en las montañas —decía el abuelo—.
El agua brota de una cueva.
Nadie sabe de dónde viene...

A ver, ¿por qué ahora
se para la cabra?
Djit avanza paso a paso.
Entonces, ve un gran agujero negro.
Coge una piedrecita y la tira dentro.
Cae y cae...
No parece llegar nunca al fondo.
Djit se aparta con cuidado.
Luego, oye un gruñido otra vez.
Ahora suena muy cerca.
Levanta la vista y retrocede,
con pánico: hay una enorme pantera
al lado del agujero.

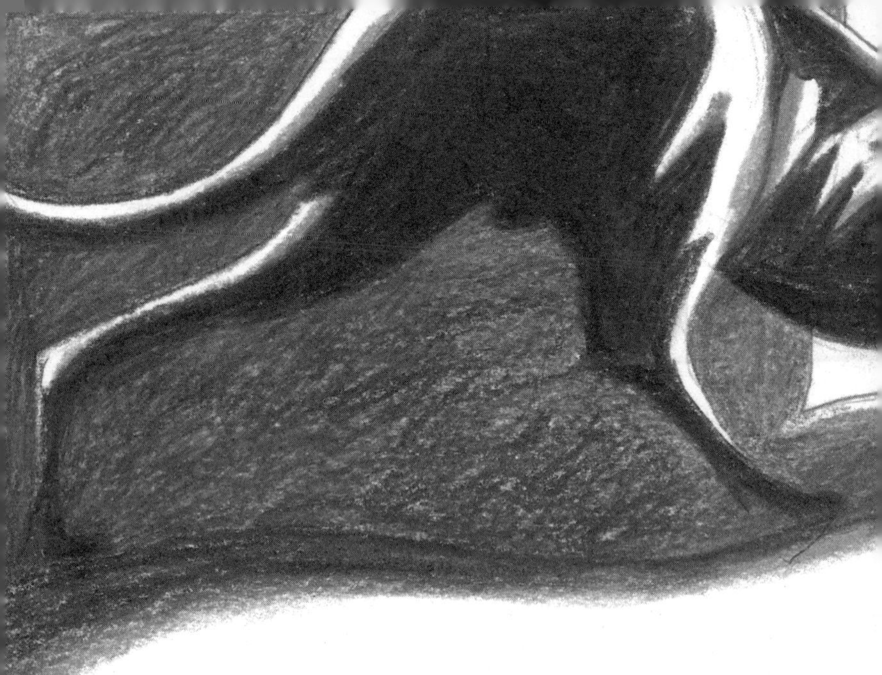

¡Una pantera con pelaje negro!
Sus ojos centelleantes no se apartan de él.
Abre su boca.
Djit ve unos dientes afiladísimos.
Las grandes garras baten el aire
por sorpresa.
Djit apenas tiene tiempo de esquivarlas.
Pero la cabra no lo consigue.
Las uñas se clavan en su piel,
como cuchillos.

La pantera zarandea al pobre animal,
metiéndose en la cueva.
Lo tira contra la roca
con un golpe tremendo.
Los balidos desesperados
cesan de repente.
Djit oye cómo se astillan todos los huesos.
Está furioso.
Ciego de rabia arroja su lanza
contra el cuerpo compacto.

La pantera chilla de dolor.
Se echa hacia atrás,
en dirección al agujero.
Su pelo negro se llena de sangre.
La fiera abre la boca, intentando arrancar
la lanza clavada en su costado.
Pero sus patas resbalan
en las rocas pulidas.
Con un fuerte rugido, el animal
desaparece en las profundidades.

Djit oye un golpe sordo.
Y luego silencio en la cueva.
Un silencio angustioso.

Djit siente los latidos acelerados
de su corazón.
De las profundidades de la montaña surge
un ruido como de gargoteo.
Del agujero sale un vapor nebuloso.
Burbujas y espuma.
De repente, el agua moja sus pies.
Djit quiere salir corriendo.

Pero es demasiado tarde.
El agua sube como un remolino desatado.
Golpea sus piernas y lo tira.
Intenta agarrarse.
Pero se cae.
Sus dedos no encuentran dónde aferrarse
en las rocas desgastadas.

Djit grita.
Su boca se llena de agua.
Resopla atragantado y se agita
mientras la corriente lo arrastra,
fuera de la cueva.
Ve a los tres buitres, lejos, en el cielo.

«¡La cascada! —le viene
al pensamiento, como un rayo—.
Tengo que sujetarme a cualquier cosa.
Si caigo, estoy perdido.»

Algo suave lo toca.
Los dedos de Djit se clavan en el pelaje
suave de la cabra.
La corriente arrastra a los dos.

Hacia el borde de las rocas.
El agua fluye más rápido.
Cada vez más.
Djit es empujado al vacío.
Hacia abajo.
Cae más y más rápido.
Al profundo infinito...

8

OJOS MUERTOS

Djit se despierta, sobresaltado.
Un búho ulula a lo lejos.
Es lo único que se oye.
La selva está en silencio.
Un silencio extraño.
No falta mucho para que salga el sol.
«¿Dónde me encuentro?
—piensa Djit—. Estoy frío y mojado.»
Levanta su cabeza un poquito,
con cuidado.

Retiene el aliento.

«Estoy soñando —piensa—.
No puede ser.»
¡Una cabeza peluda está apoyada
en su pecho!
Dos ojos apagados
lo miran fijamente.
Sus dedos están curvados
como garfios.
Están clavados en el pelaje
de una cabra.

«¿Qué ha pasado? —piensa Djit—.
Una cabra muerta...
unas huellas...
la pantera...
fui arrastrado por el agua...
¡Estoy vivo!»

Su corazón se acelera.
Empieza a gritar.

—¡He matado a la pantera!
¡Estoy vivo!

Djit aparta la cabra.
La cabeza cae hacia un lado.
Los ojos sin vida miran
hacia el fondo del río.
Djit se levanta con dificultad.
No siente las piernas
por el frío del agua.
Los primeros rayos de sol atraviesan
las hojas de los árboles.
Suena un balido de cabras...
¡¿Cabras?!
Djit mira a su alrededor.
Apenas cree lo que ve.

«El río me ha devuelto aquí
—piensa—. ¡Estoy al lado de casa!»

Oye unos pasos rápidos en el camino.

—¡Abuelo! —exclama Djit.

—¡Djit! —contesta el abuelo—.
La pantera anda por aquí.
¡Cuidado! He visto sus huellas
al lado de la valla.

El anciano entra en el agua.
Arrastra la cabra muerta,
hacia la orilla.
Pasa sus dedos por el cuerpo mojado.

—Tiene todos los huesos rotos
—dice, sorprendido—.
¿Cómo es posible?

—La pantera la tiró contra la pared
de la cueva —explica Djit.

—¿Qué cueva? —pregunta el abuelo,
extrañado.

—La que está arriba de la cascada
—explica Djit en un susurro—.
He matado a la pantera.
¡La pantera negra!
El río se secó.
Así que pude seguirla...

El abuelo abraza fuerte a Djit:

—Creo que has debido de tropezar.
Quizá tu cabeza se ha dado
contra una piedra. A ver, déjame tocar...

—Ay, ay

—Tienes un buen chichón.

El anciano acaricia la cabeza de Djit.

—A veces viajamos lejos.
De verdad —dice—. O en sueños.
No importa.
¿Recuerdas lo que te dije
antes de que salieras de la cabaña?

Djit intenta hacer memoria.

—Tenías sed. Me pediste agua.

—Exactamente.

El anciano coge agua
con el hueco de la mano y bebe.
Djit se frota el chichón.
Cuando cierra los ojos,
ve a la pantera delante de él.
Pero el animal desaparece al abrirlos.
Mira el agua fijamente.
Allí ve reflejados tres puntitos.
Suenan gritos y aleteos muy alto,
en el cielo.

Tres buitres dan vueltas.
Luego desaparecen en dirección
a la cascada.

9

Dónde

Ese día, el abuelo convocó a todos los cazadores del poblado.

—Tenemos que matar a la pantera —dijo—. Si ese animal sigue merodeando por aquí perderé todas mis cabras.

El abuelo cantó su conjuro de caza. Clavó unas espinas puntiagudas en las huellas de la pantera. Los cazadores siguieron el río hasta la cascada.

Pero no encontraron a la pantera.
Y hasta el día de hoy
nadie la ha vuelto a ver jamás...

Cómo nació *La huella de la pantera*

Antes de escribir esta historia
estuve caminando por las montañas.
En Francia, en los Pirineos.
Vi una oveja muerta al lado
de un riachuelo.

«¿Qué hace allí? —pensé—.
¿Se habrá muerto por un disparo?
¿O por el ataque de otro animal?
¿O porque se cayó?
¿Acaso se murió de hambre?
¿Y dónde está el pastor?»

Toda clase de preguntas empezaron
a bullir en mi cabeza.
Pero estaba seguro de una cosa:
haría que esta oveja volviera a la vida
en mi siguiente libro.
Unos días después estuve en un valle.
Al final había una pared rocosa
con una cascada.
El agua caía trescientos metros,
con gran estruendo.

«Estupendo —pensé—.
Para mi próximo libro.»
Después de las vacaciones
fui a la biblioteca.
Abrí por casualidad un libro
sobre un pueblo en Indonesia.
El pueblo de los Asmat,
que viven en la selva virgen.
En ese libro encontré el nombre: «Djit».
La gente de su tribu vive en cabañas,
arriba, en los árboles. Y cría cabras.

Con eso ya sabía suficiente.
La oveja muerta de los Pirineos
se convirtió en una cabra de Indonesia.
Yo ya tenía un nombre,
una cabaña en un árbol,
una selva virgen,
una cascada y una cabra.
Añadí una pantera.
Y una noche se me ocurrieron
las primeras frases, así, de golpe.

Djit se despierta sobresaltado.
Un búho ulula a lo lejos.
Es lo único que se oye.
La selva está en silencio.
Un silencio extraño.

¡Había nacido el principio del libro!

Índice

Farid y el gato negro

Hans Hagen

Ilustraciones
Philip Hopman

ALA DELTA, SERIE AZUL N.º 15. 104 págs.

Farid tiene ocho años y no va a la escuela porque trabaja cobrando los billetes del autobús de su padre. Un día, por todas partes, ve aparecer un gato negro: en el mercado, en su casa, entre la gente de la plaza. Trata de atraparlo pero siempre se escapa. ¡Qué raro, también su madre desaparece de vez en cuando!

Malif y el lobo

Hans Hagen

Ilustraciones
Philip Hopman

ALA DELTA, SERIE AZUL N.º 50. 104 págs.

Malif vive en el desierto y cuida de las ovejas con su padre, su tío Ízar y el viejo pastor Rafik. Ellos le enseñaron el oficio. Un día, encuentra un pequeño lobo y quiere quedárselo. Pero su tío cree que puede ser peligroso y, además, quiere matarlo para poner su piel en su tambor. ¿Conseguirá el apoyo de Rafik y de su padre?

CALGARY PUBLIC LIBRARY

SEP - - 2008

Directora de la colección:
Mª José Gómez-Navarro

Equipo editorial:
Violante Krahe
Juan Nieto
Lupe Rodríguez

Dirección de arte:
Departamento de imagen y diseño GELV

Diseño de la colección:
Manuel Estrada

Ilustración de cubierta:
Ximena Maier

Título original: *Het spoor van de panter*

Publicado por Querido, Amsterdam

El 0,7% de la venta de este libro se destina a la construcción de la escuela que la ONG Solidaridad, Educación, Desarrollo (SED) gestiona en San Julián (El Salvador).

© Del texto: Hans Hagen
© De las ilustraciones: Philip Hopman
© De esta edición: Editorial Luis Vives, 2007
Carretera de Madrid, km. 315,700
50012 Zaragoza
Teléfono: 913 344 883
www.edelvives.es

ISBN: 978-84-263-6439-5
Depósito legal: Z. 2965-07

Talleres Gráficos Edelvives (50012 Zaragoza)
Certificados ISO 9001

Printed in Spain

Reservados todos los derechos. Queda prohibida, sin la autorización escrita de los titulares del copyright, la reproducción total o parcial, o distribución de esta obra, por cualquier medio o procedimiento, comprendidos el tratamiento informático y la reprografía.

FICHA PARA BIBLIOTECAS

HHAGEN, Hans (1955-)
La huella de la pantera / Hans Hagen ; ilustraciones, Philip Hopman ; traducción, Laurence Schröder. – 1ª ed. – Zaragoza : Edelvives, 2007
65 p. : il. ; 20 cm. – (Ala Delta. Serie azul ; 59)
ISBN 978-84-263-6439-5
1. Relación abuelo-nietos. 2. Miedo. 3. Valentía. 4. Panteras.
I. Hopman, Philip, il. II. Título. III. Serie.
087.5:821.112.5(492)-31»19»